A Yara, Shay, Jack, Greta, Paloma
y a todos los pequeños monitos.

El Mono Paparazzi
Título en inglés: The Rainforest Paparazzi

Coordinadora de la colección: Yazmín Ross.
Diseño Gráfico: Paula Cruz

Producciones del Río Nevado, S.A.
Pachanga Kids
Apdo 11732-1000 San José, Costa Rica
Tel (506) 25 24 07 28
info@pachangakids.com
www.pachangakids.com

*** Sexta edición - Octubre 2018. 2000 ejemplares**
Impreso en China

. 863.44 Ross Lemus, Yazmin
R823p **El mono paparazzi**
= The Rainforest Paparazzi / Yazmín Ross Lemus;
il, Ruth Angulo ; tr. Jeana Paul Ureña.
-- 6a ed. -- San José, Costa Rica:
Producciones del Río Nevado, 2018.
28 p. ; 21 x 23 cm. (vol. 3)
(Colección : Pachanga Kids, volumen 3)

ISBN: 978-9968-9603-4-2

1. CUENTOS COSTARRICENSES. 2. LITERATURA I. Título

Translated by Jeana Paul-Ureña

Tití, el mono, siempre deseó
ser un fotógrafo del bosque.
Cierto día, ¡que alegría!
halló una cámara perdida.

Tití the monkey had always dreamed
of the great photographer he could be.
So the day he found a camera,
his life was suddenly filled with glee!

quetzal
mariposa
ginger

bromelia
rana arboricora
sapito
monstera

Con esa cámara sin dueño
puso Tití todo su empeño.
A Yara, la ranita, sorprendió en el
momento más importante de su vida.

Tití jumped and shouted, oh what a find!
And he was off to get the perfect shot!
He slipped up on Yara the frog,
"Surprise!" At the most important
moment of her life!

rana venenosa
Ranita Roja

Yara empacó su descendencia
en una gota de lluvia y muy lejos se marchó.
Disfrazada de iguana, a sus huevitos
les buscó un nuevo escondite.

In a drop of rainwater Yara packed up her eggs and quickly
she hopped off far away. So upset she was, she put on a
disguise, Dressed as an iguana with her eggs to lay.

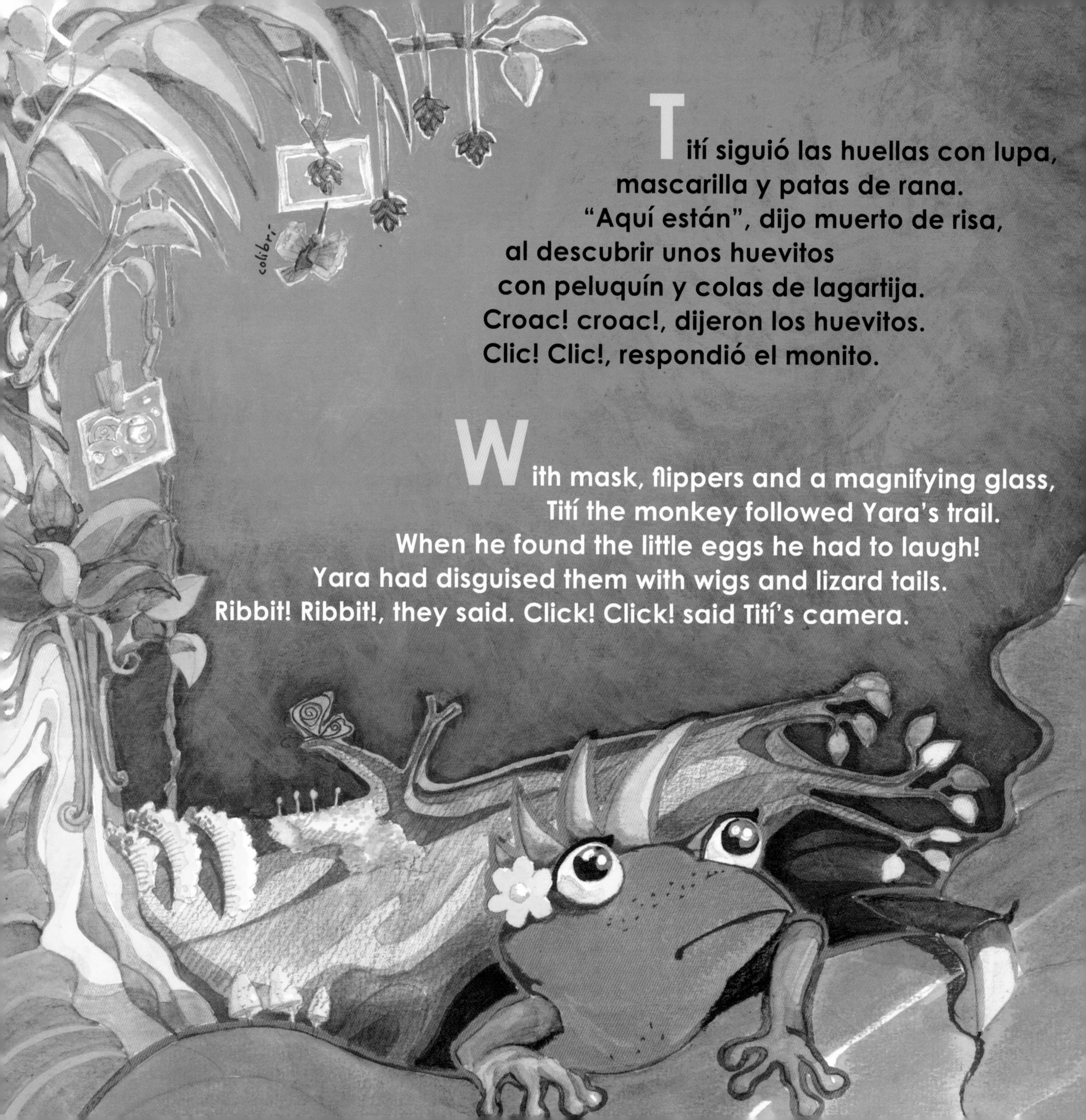

Tití siguió las huellas con lupa,
mascarilla y patas de rana.
"Aquí están", dijo muerto de risa,
al descubrir unos huevitos
con peluquín y colas de lagartija.
Croac! croac!, dijeron los huevitos.
Clic! Clic!, respondió el monito.

With mask, flippers and a magnifying glass,
Tití the monkey followed Yara's trail.
When he found the little eggs he had to laugh!
Yara had disguised them with wigs and lizard tails.
Ribbit! Ribbit!, they said. Click! Click! said Tití's camera.

garza blanca
ave

tangara
malinche real

Diana, la iguana, tomaba el sol cuando Tití en una foto, la congeló. “Ya no me podré broncear, si el mono Paparazzi ronda el lugar”.

Diana the iguana was soaking up the sun, when Tití’s camera caught her not-so-best side. “Oh no!” she cried, “I’ll never get a tan! With the Paparazzi monkey, there’s no place to hide!”

De mariposa,
Diana la iguana
se disfrazó y al mono
por un rato desorientó.
"Al gran Tití nada se le escapa"
y le dio a probar jugo de banana.
"¡Fuchi!", dijo Diana.
"¡Bravo! Ya tengo otra instantánea".

A pretty butterfly costume Diana put on,
and Tití was confused, but only for a moment.
"Nothing escapes the Great Tití!"
So he offered her banana juice.
"Gross!", said Diana.
"Bravo! Now I have
another photo!"

flor de Malinche
hojita de caña india
ardillita con

MORPHO

"¡Este mono sí molesta!
Nos interrumpe la siesta.
En un ¡tris tras!
Mariposa armó su disfraz
"¡Mmm! ¡Qué lora tan rara
con siete gusanitos en pijama!"

Blue butterfly fluttered about,
"This monkey is such a bother!
He will not let us take a nap."
In a flash she put on a parrot disguise.
"Would you look at that funny bird,
with seven baby worms wearing pajamas!"

MORPHO
lapa

Tití se paró de pestañas
y en un santiamén descubrió la artimaña.
Dio una voltereta y a Mariposa atrapó con las alas abiertas.

Tití didn't get far before he figured it out, with the tip of his tail,
he turned about. And that's how the beautiful Blue butterfly
was caught on film with wings spread wide!

“¡Ahora sí ”, dijo Tití, “ya tengo mi colección con las estrellas más famosas del Bosque Lluvioso!”. Tití quiso compartir con chicos y grandes su hazaña.

“I’ve got them now! I am the best! Tití was so proud to say,
“With my photo album of Rainforest stars,
I’ll be the most famous Paparazzi of the day!”

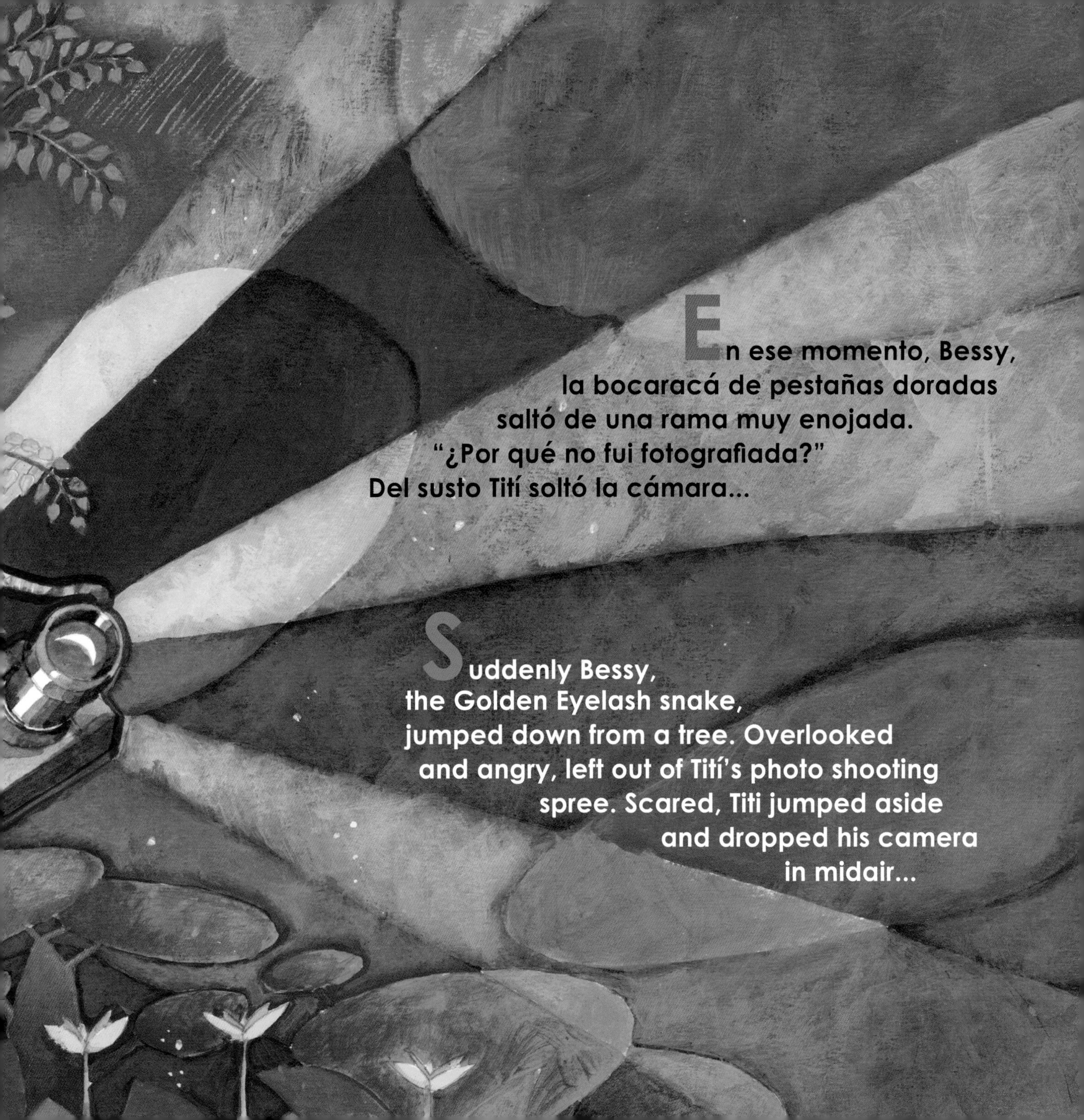

En ese momento, Bessy,
la bocaracá de pestañas doradas
saltó de una rama muy enojada.
"¿Por qué no fui fotografiada?"
Del susto Tití soltó la cámara...

Suddenly Bessy,
the Golden Eyelash snake,
jumped down from a tree. Overlooked
and angry, left out of Tití's photo shooting
spree. Scared, Titi jumped aside
and dropped his camera
in midair...

El bosque lluvioso apareció con gran estruendo. Llovió y llovió y a todos empapó. La cámara al charco fue a parar. Los animales volvieron a la paz. Y ya nadie necesitó disfraz.

The Rainforest appeared
with a roaring sound.
All were soaked
as a heavy rain came down.
The camera landed in the froggy's
bog, and calm returned
like morning fog.

LOS MONOS

Canción tradicional
Basada en la versión de Luis Pescetti
Adaptación: Juan Carlos Ureña y Jeana Paul-Ureña

Dicen que los monos no usan sombrero
porque los monitos se agarran de los pelos.
Qué bien que me viene, qué bien que me va
Viva la alegría, ja-ja-ja-ja-já

Dicen que los monos no usan taza chica
porque los monitos la traen de bacinica
Qué bien que me viene...

Dicen que los monos no usan calcetines
porque los monitos los usan de patines
Qué bien que me viene...

Dicen que los monos ya no se toman fotos
porque los monitos se ponen como locos
Qué bien que me viene...

Dicen que los monos no usan camarita
porque los monitos enseñan la colita
Qué bien que me viene...

Dicen que los monos no usan corbata
porque los monitos se amarran de las patas
Qué bien que me viene...
Dicen que los monos no usan pijama
porque los monitos se hacen pipí en la cama
Qué bien que me viene...

Dicen que los monos no usan calzoncillos
porque los monitos los dejan amarillos
Qué bien que me viene...

THE SILLY MONKEYS

Lyrics and Voice: Jeana Paul-Ureña
Traditional song, based on the version by Luis Pescetti.
Interpreted by: Juan Carlos Ureña and Jeana Paul-Ureña

Swinging through the forest or jumping on the bed
Silly monkeys can't keep a hat upon their head!
Such a happy monkey as silly as can be
Life can be so funny, hee hee ha ha hee!

Funny little monkeys will never use a teacup
Hanging by their tails, it's impossible to drink up!
Such a happy monkey...

Monkeys don't use coats or ties just to name a few
things Shirts or socks or underwear,
nor do they like blue jeans!
Such a happy monkey...

Don't let monkeys play with little cars or legos
If they get in your toy box, they're going
to eat your Play-Doh!
Such a happy monkey...

Never let a monkey find a camera unattended
He'll be Paparazzi and leave his friends offended!
A monkey with a camera, as silly as can be
Life can be so funny, hee hee ha ha hee!

A monkey paparazzi will photograph your mama
Your grandma's hair in rollers, your daddy in
pajamas! A monkey with a camera, as silly as can
be. Life can be so funny, hee hee ha ha hee!

Swinging through the forest or jumping on the bed.
Silly monkeys can't keep a hat upon their head!
Such a happy monkey...

www.pachangakids.com

info@pachangakids.com

Colección infantil bilingüe
Cuentos con música,
Libros de colorear y de actividades

Descarga gratis audio libros y canciones:
www.pachangakids.com

Children Books
Stories, Music, Coloring
and Activities Books

Free download audio books & songs:
www.pachangakids.com

El mar azucarado
Sea sweet sea

En busca del sapito dorado
In Search of the Golden Toad

Costa Rica Wow

Una Tortuguita sale del nido
A Turtle is Born

El tucán y el arcoiris
The Toucan & the Rainbow

Narilú y Rubí

El mono paparazzi
Cuento de colorear
The paparazzi monkey
Coloring Book

El increíble viaje
de una tortuguita
A turtle incredible journey
Activities & Coloring Book